En pension ?
Pas question !

écrit par Gérard Moncomble
illustré par Frédéric Pillot

HATIER
POCHE

1
Kidnapping en famille

Papa ne respecte rien. Il vient d'interrompre ma sieste pour me flanquer dans une cage. Il me pose sur la table de la cuisine, devant maman et Suzanne. Ils n'ont pas l'air contents du tout. C'est un tribunal ou quoi?

– La dernière fois qu'on est partis en week-end, dit papa, ça s'est très mal passé.

Maman énumère :
– Tu as éventré un fauteuil, fait pipi partout, cassé deux vases.

– Nous avons donc décidé, décrète papa...

Quoi? de couper mes moustaches? de planquer mes croquettes?

– ... de te mettre en pension chez Betsy pour deux jours!
– Tu y seras comme un coq en pâte! ajoute Maman.

Suzanne agite un prospectus.
– Betsy va te promener,
te pomponner,
te chouchouter!
C'est marqué ici!

Ah, les têtes d'anchois! Ils ne me laissent pas le choix! Même Suzanne est dans le coup!

La pension n'est pas loin. Une grosse dondon surgit en braillant :
– Bienvenue chez Betsy, ma jolie!

– Voilà Thérèse, mes roudoudous!
Elle raffole déjà de mes bisous!

Faux! La miss patapouf m'étouffe, oui!

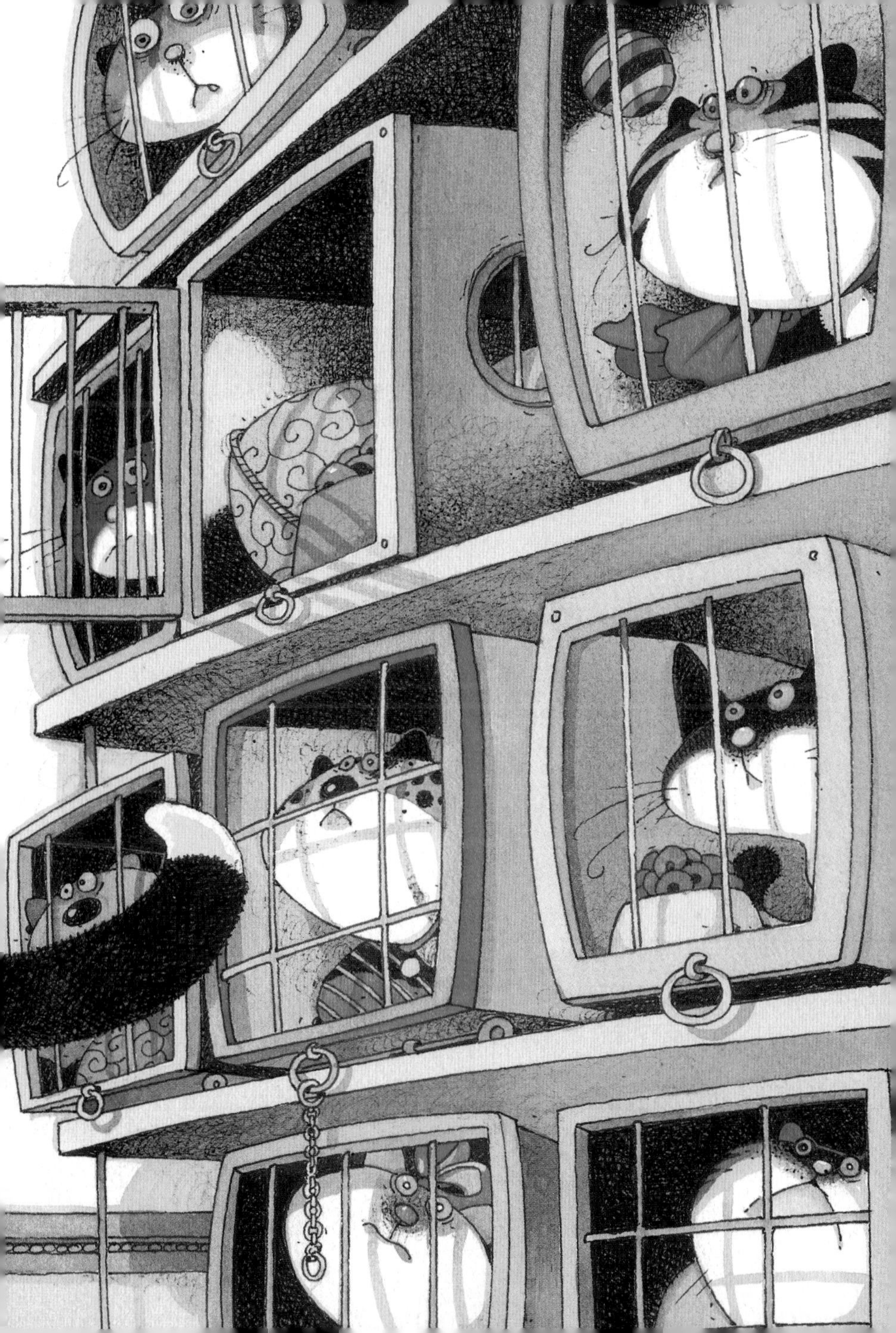

2
Au paradis des chouchous

– Tu vas te plaire, ici, ma praline d'amour, dit Betsy. Les autres viennent chaque week-end, ils **a-do-rent**!
Ah oui? Bah, pourquoi pas, après tout?

– Suivez-moi, chers chouchous, trompette Betsy. On va se **re-la-xer**! Une Thérèse à roulettes, c'est du jamais vu! Plutôt chouette, matoupopette!

Waouh! Pour du relax, c'est relax! Chanson douce et coussins de satin, la classe!

Au programme, MatouPark !
Des jeux rien que pour nous !
C’est fou !

Et ça continue avec TéléMatou.
Rigolo. Mais pourquoi Betsy
joue-t-elle les pots de colle?

Voilà qu'elle nous appelle ses cachous chéris, ses dodus doudous, ses caramels mous. Elle nous triture, elle nous malaxe. Tout doux, la dondon!

Puis elle nous promène dans les allées du jardin.

– N’allez pas vous enrhumer, mes bébés !

C'est alors qu'on hurle de rire derrière moi. Et là, c'est comme un signal d'alarme.

Tut-tut-tut-tut!

3
La révolte des matous

– C'est l'heure du bain, mes bambins ! crie Betsy.
Hein ? Frisettes et parfums ?
Cette fois, elle passe les bornes !
Matoucrin ! on n'est pas des chiens !

Bon! Le paradis, ça suffit! Fini! Stop! Thérèse Miaou est de retour.

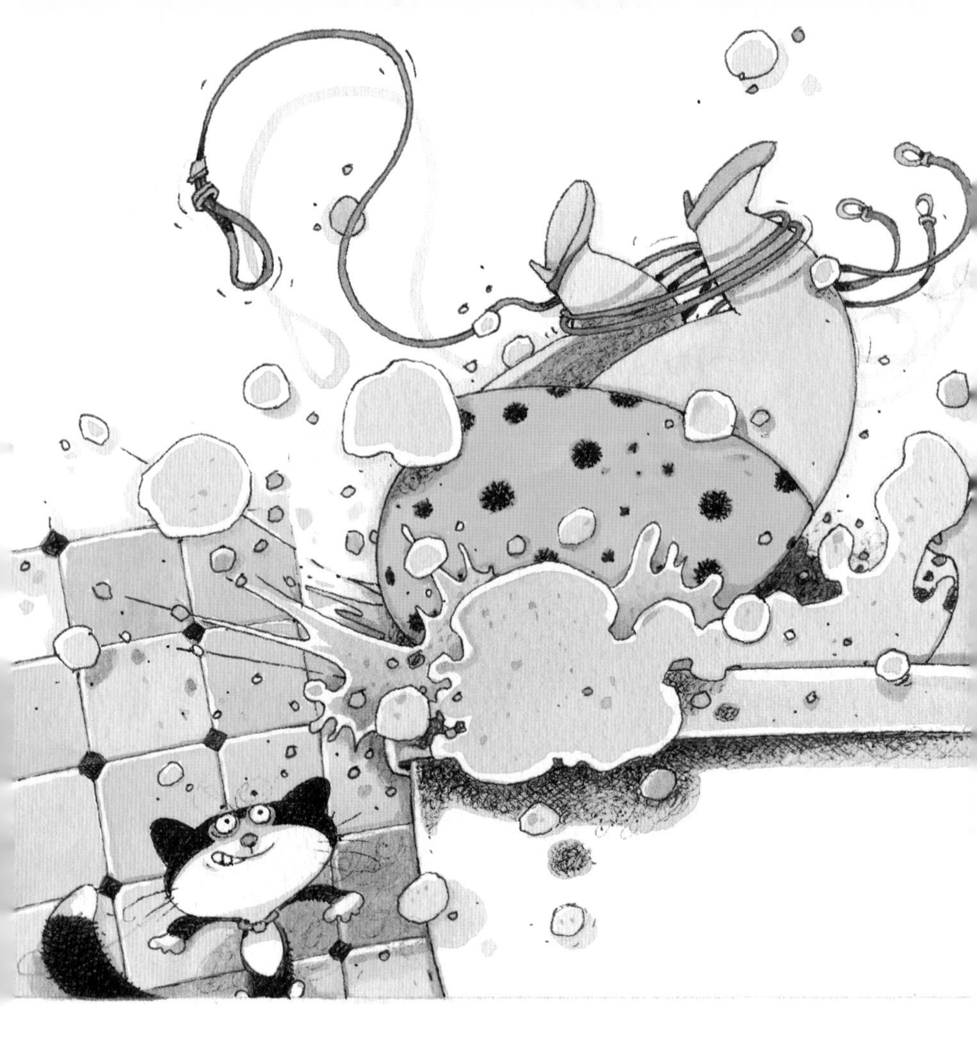

D’abord mettre Betsy hors d’état de nuire! Un gros plouf et on n’en parle plus!

Ensuite trouver la sortie. Pas facile, tout est cadenassé, ici. Mais une petite grimpette ne me fait pas peur.

Pépé la Sardine, Croque-Poubelle
et Mathieu le Pouilleux sont là.
Je leur saute au cou. Sans eux,
je serais maintenant frisée,
parfumée, décorée comme un
paquet-cadeau!

Et vous autres, là! Secouez-vous les puces, nom d’un pou! Sortez vos griffes, bande de tout mous! Vous êtes des matous ou des toutous?

Des matous!
Bravo!

Du coup, j'ai invité tout le monde à la maison. *Chez Papa et Maman*, ça s'appelle. Une pension au petit poil, non?

joue avec moi

As-tu une mémoire d'éléphant ?

1. *Qu'est-ce que papa et maman me reprochent comme* ***bêtises*** *?*

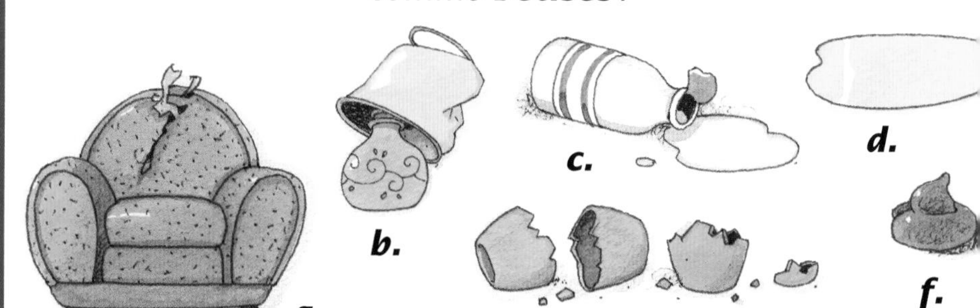

2. *Parmi tous ces* ***matous****, lesquels n'étaient pas là ce week-end ?*

3. *De quelle* ***couleur*** *est mon épouvantable manteau?*

4. Quelle ***coiffure*** *et quels* ***bijoux*** *porte Betsy?*

Solution : 1. a., d., e. 2. b., d. 3. a. 4. b.

Salut! Moi, c'est **Thérèse**. La Thérèse en vrai, avec des poils et des moustaches.
Je vis avec Gérard Moncomble et sa famille dans une grande maison à la campagne.
J'ai des croquettes, un coussin et je dors toute la journée.
Le bonheur, ça s'appelle.

Ça, c'est **Frédéric**, **Gérard** et moi.
Le grand blond me dessine avec ses crayons et ses pinceaux. Le barbu raconte mes histoires. En plus, ils me caressent tout le temps.

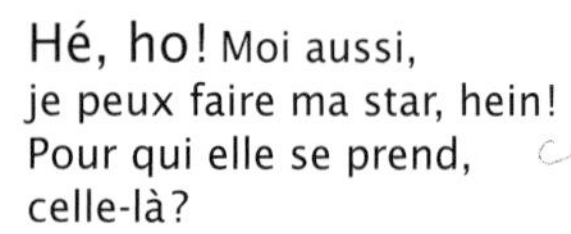

Hé, ho! Moi aussi, je peux faire ma star, hein! Pour qui elle se prend, celle-là?

HATIER
POCHE

POUR DÉCOUVRIR :

> **des fiches pédagogiques** élaborées par les enseignants qui ont testé les livres dans leur classe,
> **des jeux** pour les malins et les curieux,
> **les vidéos** des auteurs qui racontent leur histoire,

rendez-vous sur

www.hatierpoche.com

Responsable de la collection :
Anne-Sophie Dreyfus
Direction artistique, création graphique et réalisation : DOUBLE, Paris

ISBN : 978-2-218-97026-9
ISSN : 2100-2843

Loi n° 49956 du 16 juillet 1949 sur les publications destinées à la jeunesse.

Hatier s'engage pour l'environnement en réduisant l'empreinte carbone de ses livres. Celle de cet exemplaire est de :
150 g éq. CO_2
Rendez-vous sur
www.hatier-durable.fr

Achevé d'imprimer en France par Clerc
Dépôt légal : n°97026-9/02 - août 2013